Le chocolat

Texte de Stéphanie Ledu
Illustrations de Didier Balice

MILAN
jeunesse

En tablette, en poudre avec du lait,
sous forme de pâte à tartiner, nappé sur des biscuits...
Tous les gourmands aiment le chocolat.

Mais sais-tu d'où il vient ?
C'est une longue aventure...

Dans les pays chauds et humides d'Amérique du Sud, d'Afrique et d'Asie, on trouve des **cacaoyers**, les arbres qui servent à faire le chocolat.

Le cacaoyer est fragile : il ne lui faut ni trop de vent,
ni trop de soleil. Pour qu'il grandisse bien,
on le plante à l'ombre de bananiers.

7

Sur le tronc et les branches du cacaoyer
poussent des fleurs, qui se transforment
en drôles de fruits ovales, les cabosses.

8

Quand les cabosses sont mûres, on les cueille, puis tchac! on les ouvre en 2. À l'intérieur se trouvent des dizaines de graines qu'on enlève à la main.

9

Pour les rendre plus savoureuses, on place les graines quelques jours dans des caisses et on les recouvre de feuilles : elles **fermentent**. À intervalles réguliers, il faut les remuer !

Puis les graines sont mises à sécher.
À la fin, elles sont devenues brunes.
On les appelle alors des fèves de cacao.

11

La **récolte** est mise en sacs. Un **acheteur** vient à la ferme de cacao... Les fèves sont de bonne qualité ? Parfait !

Direction le port ! Dans d'immenses
entrepôts, les gros sacs de 60 kilos de cacao
attendent de partir par bateau vers
les fabriques de chocolat du monde entier. 13

Nous voici à l'usine. Avant de devenir du bon chocolat,
les fèves vont passer dans d'énormes machines. Celles-ci
les nettoient en aspirant les poussières, les petits cailloux...

14

Les fèves sont ensuite brisées
et torréfiées, c'est-à-dire
grillées dans un grand four.
Mmm, ça sent bon...

15

Les éclats de fèves sont écrasés pour donner la **pâte de cacao**. Elle est très amère.

En pressant très fort cette pâte, on obtient d'un côté du **beurre de cacao** liquide...

... et de l'autre des **tourteaux**. Finement moulus, ils deviendront le chocolat en poudre du petit déjeuner. 17

C'est parti pour le mélange !

Pendant des heures,
une machine malaxe
de la pâte et du beurre
de cacao, du sucre... et du lait
en poudre, si l'on veut
du chocolat au lait.

Encore quelques opérations longues
et délicates, et voici le chocolat moulé
sous forme de **tablettes**, qu'on enrobe
d'un joli papier.

Tu manges peut-être du chocolat tous les jours.
Mais pendant très longtemps, chez nous,
on ne le connaissait pas.

La plus vieille recette connue est celle des Aztèques,
en Amérique centrale : ils préparaient le xocoatl,
une boisson froide à base de cacao et d'eau, parfumée
avec du piment, du poivre, de la vanille...

21

Il y a 500 ans, après avoir conquis le royaume aztèque,
les Espagnols ramenèrent le cacao en Europe, où
l'on commença à le boire chaud et sucré. Quel délice !

Bien plus tard, des **industriels** inventèrent
le chocolat à croquer : d'abord noir, puis
au lait, aux noisettes... ou même blanc.

23

Et ici ? Nous sommes chez un **maître chocolatier**.

Il a choisi les meilleurs chocolats,
qu'il reçoit de l'usine en pastilles
ou en plaques et fait fondre
dans son **atelier**.

Il travaille ensuite le chocolat, pour fabriquer des **bonbons** moulés ou enrobés, à la praline, au nougat, au caramel, à la pâte d'amandes...

Dans la boutique, il flotte une odeur exquise, qui donne envie de tout goûter.

26

L'artisan sait aussi **modeler** le chocolat, pour en faire des sculptures extraordinaires. La plus belle recevra peut-être une médaille au **Salon du chocolat** !

Noël, anniversaires... Il n'y a pas de fête sans chocolat !
L'une des préférées des enfants est la chasse
aux œufs de Pâques.

Qui les a fabriqués ? L'usine, l'artisan...
ou un lapin qui les sème dans le jardin ?

Peu importe ! Le jeu, c'est de les trouver...
puis de les croquer. Miam !

Découvre tous les titres
de la collection

Mes P'tits **DOCS**

Et aussi :
Au bureau
À table !
Le bébé
Les camions
Le chantier
Les châteaux forts
Les dinosaures